차례

어린이

003   어린이문학 시리즈 '두리번'

020   어린이교양 '궁금한 이야기+'

청소년

025   청소년문학 시리즈 '바일라'

042   청소년교양 '인문학콜라보'

046   청소년한국사

교육서

049   교육비평·교육에세이·교육소설

에세이

057   교양·예술·인문·기행

067   전체 도서 목록

서유재

어린이문학
'두리번'
시리즈

눈을 크게 뜨고 살펴보아요
오른쪽, 왼쪽, 위, 아래, 뒤도 돌아볼까요?

두리번! 두리번!

한 줄기 햇살, 한 줌 바람같이
한 송이 꽃, 한 그루 나무같이

우리와 함께하는 소중한 것들을
두리번! 두리번!
마음에 담아 보아요.

공감하고 나누며 성장하는
어린이를 위한 이야기

#동물권 #반려견 #유기견 #가족

어느 날 가족이 되었습니다

박현숙 글 | 김주경 그림 | 2018년 3월 30일 발행
152mm×250mm | 176쪽 | 값 12,000원
ISBN 979-11-89034-00-9 73810

★국립어린이청소년도서관
　추천도서
★서울시교육청도서관
　추천도서

살아 있는 모든 존재의
'평등할 권리'

주인공 서민이는 고모부, 고모, 사촌 민준이, 반려견 미미와 함께 살고 있다. 민준이는 서민이와 마미에게 못되게 군다. 어느 날 반려견 마미가 사라지고 서민이는 친구 동주와 마미를 찾기 위해 온 동네를 헤맨다. 서민이 마미를 찾아다니는 동안 마미는 다른 유기견들을 만나 의지하면서 서민이를 걱정한다. 서민이와 마미는 다시 만날 수 있을까? 유기견의 길거리 생활과 보호소 풍경이 마미의 눈을 통해 생생하게 담겨 있다. 동물권, 동물복지에 대한 인식과 '반려'가 가지는 의미와 책임에 대해 생각해 볼 수 있는 장편동화.

#동물권 #동물복지 #길고양이 #가족

뻔뻔한 가족

박현숙 글 | 정경아 그림 | 2019년 2월 18일 발행
152mm×220mm | 180쪽 | 값 12,000원
ISBN 979-11-89034-09-2 73810

길고양이 장례식을 둘러싸고 벌어지는 갈등과 화해, 그리고 가족의 의미

★부산시공공도서관 추천

길고양이가 싫어 고양이급식소의 밥그릇을 치워 버리거나 캣맘과 다투는 이웃이 있다. 또 로드킬 당한 고양이가 나오기도 한다. 그러나 작가는 이를 극단적인 상황으로 몰아가거나 어느 한편을 두둔하는 대신 아이들의 생각과 목소리로 들여다본다. 이는 길고양이 장례식을 금지시킨 어른들을 비난하거나 반기를 들지 않고 아이들 스스로 해결책을 찾는 모습에서 절정을 이룬다.

"한 나라의 위대함과 도덕적 진보는 동물을 다루는 태도로 판단할 수 있다. 나는 나약한 동물일수록 인간의 잔인함으로부터 더욱 철저히 보호되어야 한다고 생각한다"고 말한 마하트마 간디의 말이 여전히 유효한 현대사회에서 자연스럽고 깊이 있는 감동과 울림으로 동물권을 이야기하고 있는 장편동화.

+++ 연관 도서

6쪽　뻔뻔한 우정
9쪽　뻔뻔한 바이러스
17쪽　뻔뻔한 회장 김건우

#전통문화 #가족 #역사 #판타지

번쩍번쩍 눈 오는 밤

윤혜숙 글 | 최현묵 그림 | 2019년 12월 2일 발행
153mm×220mm | 152쪽 값 | 12,000원
ISBN 979-11-89034-23-8 73810

★학교도서관저널 추천
★행복한아침독서 추천

눈 오는 겨울밤에 찾아온 화해와 회복의 시간

주인공 수아의 외할머니는 죽어서라도 꼭 만나야 할 사람이 있으니 집에서 장례를 치러 달라는 유언을 남기고 돌아가셨다. 수아와 가족들은 모두 외할머니 댁에 모여 전통 방식의 장례식을 치른다. 장례를 마친 날 밤, 외할머니 댁에 수상한 사내가 찾아온다. 아무리 먼 곳이라도 한나절이면 올 수 있다지를 않나, 눈이 오면 천둥 번개가 안 치는 법인데 산에서 번개를 만났다지를 않나? 어딘가 수상한 이 아저씨는 엄마와 외삼촌도 몰랐던 외할머니 이야기를 털어놓는데…… 신통방통 제대로 놀 줄 아는 새 친구 번개와 뭔지 모르게 이상하고 수상한 아저씨인 백두 아재의 정체를 알려 줄듯 말듯 밀고 당기면서 독자의 상상과 해석에도 흔쾌히 자리를 내어 주는, 능청스러운 이야기꾼 윤혜숙 작가의 장편동화.

#성평등 #관계 #우정 #사춘기

뻔뻔한 우정

박현숙 글 | 정경아 그림 | 2020년 2월 24일 발행
152mm×220mm | 200쪽 | 값 12,000원
ISBN 979-11-89034-25-2 73810

세상에서 가장 비밀스럽고 특별한 우정

젠더교육이 초등 교과 과정에 도입되면서 다양한 교육활동이 이뤄지고 여러 사례들이 책으로도 출간되고 있다. 지식교양적 접근도 필요하지만 자기동일시를 통한 감각과 체화에 문학작품만 한 것도 없을 것이다. 박현숙 작가의 『뻔뻔한 우정』은 어느 날 갑자기 찾아온 이성에 대한 마음, 그 마음을 표현할 길이 없어서 끙끙 앓다가 서로의 마음을 확인하는 과정, 방과후 학교 운동장에서 함께 축구 하는 모습 등을 통해 우리 안에 잠재되어 있는 성별 고정관념과 성 역할에 따른 차별에 대해 생각하게 하고 자연스럽게 젠더 감수성까지 높여 준다. 마침내 선생님의 도움을 받아 열린 파자마 파티에서 서로에 대한 존중은 물론 '나다움'의 소중함까지 깨닫게 되는 과정이 오롯이 문학적으로 형상화되어 있는 점은 이 작품이 가진 큰 미덕이다.

+++   연관 도서
4쪽   **뻔뻔한 가족**
9쪽   **뻔뻔한 바이러스**
17쪽   **뻔뻔한 회장 김건우**

#꿈 #나다움 #성장 #가족 #차별

패션걸의 탄생

이조은 글 | 홍지연 그림 | 2020년 12월 10일 발행
152mm×220mm | 176쪽 | 값 12,000원
ISBN 979-11-89034-35-1 73810

진정한 나다움이란 무엇일까?

가족을 잃고 외톨이가 된 수아와 여성복의 아름다움에 매료되어 독특한 스타일을 갖게 된 샤를 오. 수아를 위해 뭐든 최고로 해 주고 싶지만 방법이 서툰 샤를 오와 갑작스러운 관심이 불편하기만 한 수아는 당연히 불협화음을 겪게 된다. 그러나 좌충우돌 끝에 서로의 일상에 스미게 되고 그러면서 서로가 서로에게 세상을 향해 나아갈 수 있는 힘이 되어 준다. 수아가 조롱 삼아 붙인 '오 여사'라는 별명이 후반에 이르러 샤를 오를 인정하고 존중하는 의미로 전환되듯 이 이야기에서 '패션'은 사람들과 관계 맺고 소통하는 가운데 자아를 확장해 가는 키워드로 작용한다. 초등 중학년, 첫 사춘기를 맞은 어린이 독자에게 진정한 성장이 무엇인지 잘 보여 주는 작품.

+++ 연관 도서
15쪽 패션걸의 패션스쿨

#꿈 #도전 #역사동화

바람을 달리는 아이들

신지영 글 | 최현묵 그림 | 2021년 1월 18일 발행
152mm×220mm | 144쪽 | 값 12,000원
ISBN 979-11-89034-36-8 73810

그 소년과 소녀들은 어떻게 의병이 되고 독립운동가가 되었을까

★문학나눔 선정
★한우리 추천

소년 복남과 소녀 윤의 시선으로 개화기 조선을 그린 역사 동화. 복남은 비록 마을의 노비인 고지기의 자식으로 태어났지만 불평등한 신분제를 벗어나 자신의 삶을 주체적으로 살고자 노력한다. 어느 날, 황실과 관련한 중요한 서신을 전하는 심부름을 우연히 맡게 되면서 자신의 꿈을 향한 도전에 더욱 용기를 얻게 되고 마침내 수방도가의 물지게 대회에 참가하러 길을 떠난다. 한편 윤은 한양에서도 내로라하는 집안인 김 대감의 딸로 이화 학당에 다니고 싶지만 완고한 아버지는 허락하지 않는다. 어떻게 하든 공부가 하고 싶은 윤은 아버지와 대립하고 그런 윤을 뜻밖에도 어머니가 응원한다. 앞뒤로 뒤집어 읽으면서 복남과 윤이 어떻게 스치고 만나며 서로 영향을 주고받는지 찾아보자.

#바이러스 #혐오 #차별 #가짜뉴스

뻔뻔한 바이러스

박현숙 글 | 정경아 그림 | 2021년 2월 22일 발행
152mm×220mm | 200쪽 | 값 12,000원
ISBN 979-11-89034-37-5 73810

혐오, 의심, 가짜뉴스, 배제……
이 모든 것을 이겨내는 힘은
'착한 공동체주의'

예고 없이 찾아와 전 세계를 펜데믹으로 몰아넣은 코로나는 우리에게 많은 것을 남겼다. 자연과 인간의 공생에 대한 것은 말할 것도 없고 개인과 공동체의 관계에 대해서도 다시 돌아보게 만들었다. 특히 혐오와 배제로 인한 사회적 갈등은 우리 모두의 숙제가 되었다. 이 작품은 바로 그 지점을 가장 어린이다운 시선으로 풀어내고 있다. 오하얀과 오하얀의 할머니가 영문도 모르는 채 혐오와 배제의 대상이 되고 가짜뉴스로 확대 재생산되는 상황을 『뻔뻔한 바이러스』의 주인공들은 서로에 대한 신뢰를 확인하고 연대하는 것으로 극복해 나간다. 우리에게 지금 가장 필요한 것은 이와 같은 '착한 공동체주의'라는 것을 생생하게 보여 주는 작품.

+++   연관 도서
4쪽   뻔뻔한 가족
6쪽   뻔빤한 우정
17쪽   뻔뻔한 회장 김건우

#책 #치유 #가족

비밀 유언장(기묘한 도서관 1)

이병승 글 | 최현묵 그림 | 2021년 7월 5일 발행
152mm×220mm | 184쪽 | 값 12,000원
ISBN 979-11-89034-41-2 73810

숲속 작은 도서관에서 펼쳐지는 마법 같은 이야기

죽음을 앞둔 할머니의 유언장을 찾기 위해 할머니가 집을 개조해 만든 작은 도서관에 간 엄마와 나. 어린이실, 일반도서실, DVD실, 시대별로 꾸며진 개별서고, 뒤뜰의 울창한 대나무숲까지, 작품에 그려진 도서관은 상상만으로도 아름답고 신비롭다. 어마어마하게 말을 잘하는 1학년 어린이들, 딱 봐도 문제아인 '샌드백 치는 아이', 주인공이 보자마자 단박 중2병이라 단정짓는 '허세 형', 허세 형의 여자친구이자 힙합에 푹 빠져 있는 '힙합걸 누나', 연인을 기다리는 치매 할아버지, 왕따와 괴롭힘에 스스로 고립을 선택한 '땅만 보고 다니는 아이, 서희', 어렵고 두꺼운 책을 좋아하는 '부엉이 수리점' 아저씨, 정기적으로 도서관에 와 모든 디지털 기기를 끄고 '디지털 디톡스'를 하는 게임 회사 사장님 등, 할머니의 '숲속 작은 도서관'에서 이들이 만들어낸 '마법 같은 순간'의 사연들이 하나하나 흥미진진하게 펼쳐진다.

★책씨앗 추천
★한우리 추천
★학교도서관저널 추천
★행복한아침독서 추천
★부산시교육청 추천

+++ 연관 도서

16쪽 미래에서 온 아이
18쪽 비밀 도서관

#난민 #인권 #평화

누구든 오라 그래

정복현 글 | 김주경 그림 | 2021년 7월 28일 발행
152mm×220mm | 136쪽 | 값 12,000원
ISBN 979-11-89034-42-9 73810

★책씨앗 추천
★학교도서관저널 추천
★행복한아침독서 추천

"어쩌면 우리는
모두 지구라는 별의 난민이 아닐까?"
우정의 작은 씨앗 한 톨이 일궈 낸
치유와 희망의 숲

2018년 제주에 수백 명의 예멘 난민이 입국했다. 난민 수용을 반대하는 의견에 난민에 대한 편견까지 더해지면서 난민 문제는 당시 사회적 문제가 되었다. 그리고 이 일은 우리 사회가 세계 시민으로서 난민 문제를 어떻게 바라보아야 하는지 계기가 되어 준 사건으로 남게 된다. 난민이란 인종과 종교, 국적과 정치적 의견 등으로 박해를 받아 자기 나라로 돌아갈 수 없는 사람들을 말한다. 『누구든 오라 그래』는 전쟁과 테러를 피해 이라크에서 한국으로 이주한 라오네 가족을 중심으로, 라오가 친구들과 우정을 나누며 희망을 꿈꾸는 이야기이다. 무심코 한 말과 행동에 담긴 차별과 혐오, 그로 인해 꼬리를 물고 이어지는 오해를 풀고, 나아가 더불어 사는 것의 소중함을 깨닫고 함께 성장해 가는 라오와 친구들의 이야기가 아름답게 펼쳐진다.

\#기후변화 \#환경 \#판타지

차일드폴

이병승 글 | 박건웅 그림 | 2021년 10월 25일 발행
152mm×220mm | 240쪽 | 값 12,000원
ISBN 979-11-89034-54-2 73810

아름다운 마음의 힘을 믿는 열두 살
대통령의 지구 살리기!
'정치·환경 판타지 동화'

★용산구 올해의책

기후변화와 환경 파괴로 대재앙이 일어난 지구는 엄청난 폭설과 폭염, 각종 전염병들까지 연이으면서 많은 사람들이 목숨을 잃는다. 이에 전 세계의 정치·종교 지도자들과 기업가들이 모여 대책 회의를 열게 된다. 그리고 인류의 마지막 희망인 어린이들이 정치를 통해 이 문제를 해결할 수 있도록 하는 '차일드폴' 특별법을 만든다. 대한민국도 차일드폴 법에 따라 슈퍼컴퓨터의 특수 프로그램을 활용해 5학년 안현웅을 대통령으로 뽑는다. 현웅은 대통령이 되면 늦잠을 자도 되고 학교에 가지 않아도 되고 무시하던 선생님들도 쩔쩔매게 할 수 있고 괴롭히던 아이들도 꼼짝 못 하게 할 수 있고 사시사철 뜨거운 불 앞에서 짜장면이며 탕수육을 만들어 배달을 가야 하는 아빠도 편하게 살 수 있지 않을까 생각한다. 과연 대한민국 최초의 어린이 대통령 현웅에게는 무슨 일들이 벌어질까?

\#가족 \#생명존중 \#치유

엄마가 개가 되었어요

김태호 동화집 | 장경혜 그림 | 2022년 1월 3일 발행
153mm×220mm | 176쪽 | 값 12,000원
ISBN 979-11-89034-55-9 73810

★문학나눔 선정

혐오와 차별, 폭력 없는 세상을 꿈꾸며
다정한 마음과 따뜻한 위로가 담긴
아름다운 이야기들

김태호 작가의 단편동화 6편을 묶었다. 돌아가신 엄
마를 향한 그리움이 듬뿍 담긴 「초콜릿 샴푸」, 몸이 불
편한 친구와의 특별한 우정을 그린 「요즘 자꾸 까먹는
일」, 학교폭력으로 마음을 닫아 버린 아들과 아들을 지
키기 위한 엄마의 용기에 대한 이야기 「엄마가 개가
되었어요」, 자연과 인간의 공생을 그린 「사냥의 시대」,
섬에 버려진 개와 엄마와 헤어져 섬에 온 아이의 교감
을 담은 「바틀비」, 할머니가 들려주는 옛이야기를 통
해 두려움에 맞서는 법을 배우는 아이의 이야기 「산을
엎는 비틀거인」 등 6편의 수록작에 담긴 공통적인 정
서는 공감과 믿음의 힘이다. 혐오와 차별, 폭력 없는
세상을 꿈꾸는 작가의 따뜻한 위로와 다정한 마음속
으로 들어가 보자.

#관계 #나다움 #다름

환상의 라이벌

신은영 글 | 박영 그림 | 2022년 4월 11일 발행
153mm×220mm | 144쪽 | 값 12,000원
ISBN 979-11-89034-57-3 73810

경쟁의 진정한 의미와 다름의 가치, 그리고 '나다움'에 대한 질문

뭐든 최고가 되고 싶은 대포. 그런 대포에게 어느 날 뜻밖의 라이벌이 나타났다. 생긴 건 곰인데 하는 짓은 꼬리 아홉 달린 여우 같은 영우! 그런데 이를 어쩌나, 사사건건 비교당하는 것도 모자라 아무에게도 보이고 싶지 않은 모습을 하필 영우에게 들켜 버린 대포. 이리 저리 피해 보지만 대포와 영우는 자꾸만 함께해야 할 일이 생긴다. 『환상의 라이벌』은 어린이의 눈높이에서 정정당당하게 겨루고 결과를 깨끗하게 받아들이고 서로의 다름을 인정하는 것이 얼마나 중요한 일인지 가르쳐준다. '나다움'을 잃지 않고 좌절하지 않으며 실패라고 생각하지 않는 태도야말로 진짜 '최고'라는 것, 할머니가 만드는 색색의 아름다운 조각보처럼 어울려함께할 때 빛나는 관계가 시작된다는 것도.

#고정관념 #경쟁심 #나다움

패션걸의 패션스쿨

이조은 글 | 홍지연 그림 | 2022년 5월 2일 발행
153mm×220mm | 160쪽 | 값 12,000원
ISBN 979-11-89034-58-0 73810

나를 가장 빛나게 해 주는
단 하나의 스타일, '나다움'

전작인 『패션걸의 탄생』에서 여러 어려움을 딛고 마침내 수아와 가족을 이루게 된 세계적인 패션디자이너인 샤를 오. 그는 수아에 대한 깊은 애정을 담아 어린이를 위한 다양한 사회 공헌 사업을 시작하는데 패션스쿨도 그중 하나이다. 방학 때마다 신청을 받아 진행되는 패션스쿨에서 가장 중요하게 생각하는 것은 '나다움'의 발견에 있다. 그런데 이번 패션스쿨은 수아에게도 샤를 오에게도 특별히 중요한 의미를 갖는다. 바로 세계 어린이 패셔니스타 대회에 출전할 한국 대표를 선발할 예정이기 때문이다. 전국의 패션 영재들과 함께 기상천외한 미션들을 통과하면서 가장 '나답게', 나만의 스타일을 찾아가는 과정이 흥미진진하게 펼쳐진다.

+++   연관 도서
7쪽   패션걸의 탄생

#공감 #치유 #판타지

미래에서 온 아이(기묘한 도서관 2)

이병승 글 | 최현묵 그림 | 2022년 8월 22일 발행
153mm×220mm | 168쪽 | 값 12,000원
ISBN 979-11-89034-65-8 73810

진정한 행복은 어디에서 오는가

엄마와 나는 할머니가 남기고 간 '숲속 작은 도서관'을
마을 사람들이 직접 운영할 수 있도록 넘겨주고 새로
운 도서관을 연다. 그런데 길 건너 학원과 피시방으로
는 줄지어 들어가면서 도서관은 쳐다도 보지 않는 사
람들. 엄마는 도서관 방문객에게 '떡볶이 무료 제공'이
라는 이벤트까지 기획하지만 정작 찾아온 아이들은
떡볶이만 먹을 뿐 책은 거들떠도 안 본다. 게다가 길고
양이에 유기견까지 떠안게 된 어느 날, 한 소년이 도서
관에 나타난다. 미래에서 시간 여행을 왔다는 소년 아
인은 미래로 가져갈 단 한 권의 책을 찾아야 한다며 도
와달라고 한다. 도서관에 와 내내 잠만 자는 지우, 책
여기저기에 코딱지를 붙이는 영훈, 사사건건 시비나
걸고 다니는 도해, 작가 지망생이라면서 타자기만 두
들겨 대는 다미, 자기 책을 빌려가 잃어버렸다고 거짓
말하는 작가, 시간 여행자라고 우기는 아인까지. 조금
씩 지쳐 가던 엄마는 말한다. "도서관을 계속해야 할지
말아야 할지 고민이야."

+++   연관 도서
10쪽   비밀 유언장
18쪽   비밀 도서관

#편견 #장애 #공동체

뻔뻔한 회장 김건우

박현숙 글 | 정경아 그림 | 2022년 10월 17일 발행
152mm×220mm | 200쪽 | 값 13,000원
ISBN 979-11-89034-67-2 73810

★한국출판문화산업진흥원
우수콘텐츠 선정

"별나도 괜찮아!"
우리는 모두 온 우주에 하나뿐인
다른 존재들……

오늘 아침에도 나동지는 창밖에서 들려오는 고함 소
리에 잠이 깼다. 바로 새로 이사 온 집의 트럭 때문이
다. 간신히 학교에 갔더니 이번에는 솔잎이가 회장을
그만두겠다고 한다. 교실 어항의 금붕어가 모두 죽어
버렸기 때문이다. 새로 회장이 되는 사람은 '금붕어 죽
음'에 대해 무조건 책임을 지고 그 원인을 찾아내야 한
다. 결국 남에게 싫은 소리라고는 한 마디도 못 하는
나동지 할머니는 엉겁결에 빌라 대표가 되어 '주차 문
제' 해결을 책임져야 하게 되었고 모두가 안 된다고 말
렸지만 김건우는 기어코 반의 회장이 된다.
과연 안녕빌라의 주차 문제와 나동지 반의 '금붕어 사
건'의 비밀은 해결이 될까?

+++   연관 도서
4쪽   뻔뻔한 가족
6쪽   뻔뻔한 우정
9쪽   뻔뻔한 바이러스

#공감 #나눔 #꿈

비밀 도서관 (기묘한 도서관 3)

이병승 글 | 오이트 그림 | 2023년 6월 20일 발행
153mm×220mm | 168쪽 | 값 13,000원
ISBN 979-11-89034-72-6 73810

도서관에서만 누릴 수 있는 기쁨, 책이 일으키는 아름다운 변화에 관한 이야기

★문학나눔 선정

엄마와 나는 할머니가 남기고 간 '숲속 작은 도서관'을 마을 사람들이 직접 운영할 수 있도록 넘겨주고 도시로 돌아와 새로운 도서관을 연다. 처음엔 찾는 사람이 없어 고민이었지만 조금씩 이용자들이 늘면서 그만큼 할 일도 많아진다. 치우는 사람 따로, 어지르는 사람 따로, 엉망진창이 되어 가는 도서관. 운영비와 도서 구입비 외에도 어린이 이용자를 위한 간식비, 유기동물을 보살피는 데 들어가는 비용까지 만만찮은 마당에 건물주는 임대료를 올려 달라면서 은근히 나가기를 바라는 눈치다. 엄마가 행복해하고 나도 좋아 시작한 도서관이었지만 과연 이대로 괜찮은 걸까. 짜증나는 일투성이에 슬슬 도서관 운영에 쏟아붓는 돈도 아까운 생각이 들기 시작한 나는 아무도 모르게 도서관의 문을 닫기 위한 작전을 세운다. 그러던 중 뜻밖의 사람들이 도서관에 찾아오면서 생각지도 못했던 일들이 일어나기 시작한다.

+++ 연관 도서
10쪽 비밀 유언장
16쪽 미래에서 온 아이

어린이교양 시리즈
'궁금한이야기+'

학교 현장에 꼭 필요한
객관적이며 균형 잡힌 어린이 교양서
동화로 스토리텔링한 이야기, 질문과 대답,
편지글을 통해
감수성을 물론 인문학적 사고력까지 쑥쑥!

인문학 하는 어린이를 위한 에듀테인먼트
스토리텔링 시리즈 '궁금한 이야기 플러스(+)'는
세상을 움직이는 거의 모든 것에 관한
궁금한 이야기들을 담아 나가는 어린이 교양
시리즈입니다. 흥미진진 재미만점 동화는 때로는
픽션으로 때로는 실제 있었던 사건을 재구성해
담고, 이어서 질문하고 대답하는 형식의 지식
정보들이 뒤따라옵니다.

동물권

이정화 글 | 이동연 그림 | 2018년 7월 5일 발행
188mm×250mm | 120쪽 | 값 12,000원
ISBN 979-11-89034-03-0 74080

★서울시교육청도서관 추천
★국가인권위 추천

호기심과 궁금증의 손을 잡고 따라가면 만나게 되는 '동물권'에 대한 질문과 대답들

오늘날 우리 사회의 주요한 의제 중 하나는 '동물권'이다. 이 책은 동물 복지를 인간의 배려나 시혜의 관점으로 보지 않고 동물 또한 우리 인간과 같이 지구의 주인임을, 사람에게 인권이 있듯 동물에게는 동물권이 있다는 점을 '세계사'의 현장으로 들어가 자연스럽게 느끼고 깨달을 수 있도록 하였다. 이를테면 전쟁터로 끌려가거나, 인간의 오락과 각종 실험에 이용된 동물들 이야기가 다양한 역사적 배경과 얽혀 한 편의 이야기로 재구성된다. 재미있는 이야기를 읽고 나면 야생동물이 인간에게 길들여지고, 전쟁터로, 농장으로, 실험실로, 식탁으로 향하게 된 배경을 충실하고 다양한 자료들로 구성해 제시함으로써 동물 복지의 기본 개념과 중요성을 알 수 있도록 하였다. 동물의 현실을 동정하거나 인간의 책임만을 강조하는 것을 넘어 동물과 인간이 공존할 방법을 어린이의 눈높이에 맞춰 통합적이고 균형 잡힌 시각에서 모색하도록 이끌고 있는 책.

4차 산업혁명

이현희 글 | 홍지연 그림 | 2018년 9월 28일 발행
188mm×250mm | 136쪽 | 값 12,000원
ISBN 979-11-89034-06-1 73400

★행복한아침독서 추천

"세상을 바꾸는
첨단 과학 기술의 세계!"
현실로 다가온 미래를 만나다

4차 산업혁명으로 불리는 여러 변화 속에서, "10~20년 후에는 현재 직업의 절반 이상이 사라질 것"이라는 예측도 나온다. 우리 아이들이 어른이 되어 주체적으로 이끌어 갈 미래가 지금과는 사뭇 다른 모습이라는 전망에 아이도, 아이를 지켜보는 어른도 막연하고 걱정되는 건 어쩌면 당연한 일인지도 모르겠다. 이 책은 "현재를 만들어 가는 기술은 무엇인지, 새로운 기술이 미래를 어떻게 바꾸어 나가는지 이해하고 상상해 보자"며 그렇게 한 걸음씩 나아갈 때 불확실한 미래도 헤쳐 나갈 수 있다고 용기를 준다. 세계 곳곳에서 일어난 실제 이야기들을 바탕으로 엮어 더욱 생생하게 다가오는 '4차 산업혁명' 이야기가 아이들에게 앞으로 다가올 큰 변화 앞에 의연하게 마주할 수 있는 힘을 줄 것이다.

성평등

정수임 글 | 홍지연 그림 | 2020년 6월 30일 발행
188mm×250mm | 152쪽 | 값 14,000원
ISBN 979-11-89034-31-3 73300

따뜻하고 공평한 세상으로
나아가기 위한 첫걸음,
에듀테인먼트 스토리텔링으로 만나는
'성평등' 이야기!

★한국출판문화산업진흥원
　우수출판콘텐츠 선정
★나다움 책 선정
★학교도서관저널 추천
★행복한아침독서 추천

'남자니까', '여자가'같이 성별을 기준으로 말투나 행동, 옷차림, 성격, 직업에 취미까지 규정 짓는 생각은 우리의 일상생활 곳곳에서 볼 수 있다. 이 책은 생활 속에서 무의식적으로 접하는 고정관념들을 발견하고 '성평등'을 바르게 이해할 수 있도록 어린이의 눈높이에 맞춰 이야기를 풀어 나간다. 학교와 가정을 중심으로 과거와 현재는 물론 전 세계를 넘나들며 차별과 편견에 대한 다채롭고 재밌는 이야기가 펼쳐진다. 무심코 지나쳤던 우리 사회의 고정관념, 차별과 혐오, 편견 등에 대해 공부하고, 성평등한 사회를 위해 할 수 있는 일들에 대해 함께 생각해 보자. 초등 성교육·성평등 교과 과정의 부교재로도 좋은 책.

DMZ

평화를 잇는 다리, 세계의 비무장 지대

박미연 글 | 최현묵 그림 | 2020년 9월 28일 발행
188×250mm | 168쪽 | 값 14,000원
ISBN 979-11-89034-32-0 73900

★학교도서관저널 추천
★행복한아침독서 추천

평화와 공존, 다양성의 가치를 발견하는 세계 평화 기행

전 세계 곳곳의 중요한 9개 DMZ에 얽힌 이야기를 알아보며 분쟁과 갈등 속에서 어떻게 평화를 되찾아 가야 하는지 살펴본다. 초등 통일교육이 어느 때보다 중요한 때, DMZ라는 소재를 통해 분쟁과 갈등에 관한 국제적인 여러 이슈에 대해 올바른 관점을 길러 주는 유용한 책이다.

세계 최초의 DMZ 올란드 제도, 세계 대전의 역사를 알 수 있는 독일 라인란트, 세계 문화유산이 DMZ가 된 사례인 프레아비히어 사원, 중동의 갈등을 알아볼 수 있는 골란 고원, 난민 문제를 담고 있는 수단-남수단 국경 지대, DMZ를 두고 분단되었지만 자유롭게 왕래하는 키프로스, 비무장 지대라고는 쉽게 짐작하기 어려운 남극과 우주까지 풍성하게 담았다.

세계 시민으로 당당히 자리매김할 우리가 어떤 마음으로 '나와 다름'을 바라봐야 할지, 각 비무장 지대를 둘러싼 이야기들을 통해 들여다본다.

청소년문학선
'바일라'
시리즈

시리즈명인 '바일라'는
스페인어로
'춤추다(bailar)'라는 의미를
가지고 있습니다. 십 대 청소년의
가슴을 뛰게 할 작품들을
꾸준히 선보이고 싶은 마음을
담았습니다.

이상한 나라의 앨리스들

김혜정·김혜진·박영란·박현숙·신지영·이경혜·장미 지음
2017년 2월 27일 발행
140mm×205mm | 212쪽 | 값 11,000원
ISBN 979-11-957648-5-3 43810

★한국출판문화산업진흥원
청소년추천도서
★행복한아침독서 추천

"이상한 나라에 떨어진 세상의
모든 앨리스들에게"
말갛고 투명한 맨얼굴의
소녀들이 온다!

청소년문학의 지평을 넓히며 독보적인 작품세계를 일
궈 나가고 있는 일곱 명의 작가들이 '소녀'를 테마로 쓴
작품을 모았다. 지구의 존속 여부를 결정해야 하거나
타인의 분실물과 마주했을 때 등 때로는 중대하고 때
로는 사소한 선택의 기로에서 소녀들은 주체적이고 독
립적인 존재로 자신의 삶을 열어나간다. 열두 살 차이
의 철없는 새엄마, 어느 날 갑작스럽고 알 수 없는 이유
로 멀어져 나를 힘들게 하는 친구, 나의 '스타일 철학'에
대해 도무지 공감하지 못하는 엄마…… 등 일상 속 '갈
등 유발자들' 앞에서도 소녀들은 거침없이 이야기하고
솔직하게 욕망하며 마지막까지 꿈꾸기를 포기하지 않
는다. 마음을 열고 귀를 기울이는 일, 주변에 관심을 갖
고 공감하는 행위가 결국은 내 삶을 빛나게 한다는 사
소하지만 엄중한 깨달음이 묵직한 울림으로 남는다.

남산골 두 기자

정명섭 지음 | 2017년 7월 25일 발행
140mm×205mm | 216쪽 | 값 11,000원
ISBN 979-11-957648-7-7 43810

기울어진 정의의 저울,
우리는 무엇을 택하고 버려야 할까?

십 년째 과거시험에 낙방을 면치 못하고 있는 김 생원은 먹고살 길이 막막한 부인으로부터 하나뿐인 노비 관수를 내보내겠다는 최후 통첩을 받는다. 마지못해 소일거리라도 찾고자 집을 나선 김 생원과 관수는 저잣거리에서 우연히 김 생원의 학당 동기인 박춘을 만나고, 박춘이 운영하는 신문사에 기자로 '스카웃' 된다. 김 생원과 함께 취재를 다니게 된 관수는 숫기 없는 김 생원을 대신해 먼저 질문을 하기도 하고, 기사거리를 찾아 나서기도 한다. 사실을 단순하게 전달하는 기사를 넘어 의견과 논조가 더해진 김 생원의 사설(社說)은 날이 갈수록 큰 인기를 끌게 된다. 그러나 신문의 파급력이 커질수록 김 생원과 관수는 뜻하지 않은 위험에 맞닥뜨리는데…… 부록으로 작품의 무대가 되는 곳을 별도 페이지로 구성하여 이해와 활용을 돕도록 하였다. '소설 속 역사 탐방' 길을 따라 김 생원과 관수의 뒤를 쫓아가 보는 것도 좋겠다.

★행복한아침독서 추천
★학교도서관저널 추천
★문학나눔 선정
★책따세여름방학추천도서
★서울시교육청도서관
　사서추천도서
★경남교육청 교육CEO에게
　권하는 책
★서울특별시교육청
　어린이도서관 추천도서

아무것도 모르면서

김태호·문부일·박하익·진형민·최영희·한수영 테마소설집
2018년 12월 13일 발행
140mm×205mm | 220쪽 | 값 11,000원
ISBN 979-11-89034-08-5 43810

★학교도서관저널 추천

"너에게만 들려주고픈 비밀이 있어"
내가 정말 하고 싶은 말, 고백

독보적인 색채로 어린이청소년문학의 장을 열어 가고 있는 여섯 명의 작가가 함께했다. '고백'이라는 말에 '로맨스'려니 하면 곤란하다. 비밀과 거짓말, 오해와 착각, 편견과 강박, 콤플렉스까지 우리를 짓누르는 수많은 감정들에 대한 놀랍도록 다채로운 상상력이 펼쳐진다. 여섯 명의 아이들이 들려주는 비밀스러운 고백은 결국 고통과 상실이라는 대답으로 돌아오지만 비극은 아니다. 다른 한 세계로 통하는 문의 열쇠를 받아들였기 때문이다. 다문화, 이주노동자, 난민, 주거환경, 첫사랑, 짝사랑, 입시, 판타지…… 주제와 소재, 장르를 넘나들며 여섯 명의 작가들이 담아낸 여섯 개의 고백을 통해 지금, 여기 발 딛고 선 오늘을 어제와는 다른 시선으로 보게 될 것이다. 나의 비밀을 털어놓는 순간, 세계와의 공감이 시작된다. 그리고 비로소 어른이 되어 간다.

엘리자베스를 부탁해

한정영 장편소설 | 2019년 4월 16일 발행
140mm×205mm | 204쪽 | 값 11,000원
ISBN 979-11-89034-11-5 43810

★학교도서관저널 추천
★책씨앗 추천

그해 봄, 바다로부터
이야기는 다시 시작되었다…
416 이후,
우리가 '다시' 만나야 할 세계

어느 날, 어쩔 수 없는 사정으로 고양이 전문 탐정사무소에서 아르바이트를 하게 된 홍도여고 2학년 아인이. 허름한 건물에 제대로 된 간판도 없는데다 쓸데없이 진지한 주민후 씨도 탐정이라고 하기엔 어설프기 짝이 없다. 어쨌든 '주민후 탐정사무소'에서 동네 초딩들에게 현상금까지 걸어둔 채 찾고 있는 검은 고양이 엘리자베스는 어찌나 신출귀몰 재빠른지 좀처럼 눈에 띄지 않는다.

도대체 몸도 성치 않은 길고양이 엘리자베스를 찾는 의뢰인은 누굴까?

우리의 주인공 아인은 왜 주민후 씨의 탐정사무소에서 아르바이트를 하는 걸까?

모두가 눈감은 채 진행되는 슬픈 역할극은 길고양이 엘리자베스와 함께 서서히 그 비밀을 드러낸다.

사춘기 문예반

장정희 장편소설 | 2019년 5월 30일 발행
140mm×205mm | 272쪽 | 값 11,000원
ISBN 979-11-89034-12-2 43810

★학교도서관저널 추천
★행복한아침독서 추천
★어린이도서연구회 추천
★2020책씨앗 올해의 책
★2020대구 올해의 책

"내 글이 누군가의 마음을
움직인다는 건 무엇과도 바꿀 수 없는
기쁨이니까"

외할아버지와 단둘이 사는 인문계 여고 2학년 고선우
는 글쓰기에 대한 관심이 있는 것은 아니지만 어차피
선택해야 하는 동아리 활동이기에 짝꿍 주희가 이끄
는 대로 문예반에 들어간다. 글쓰기에 대한 열정으로
똘똘 뭉친 문예반원들의 첫 대면 시간. '문쌤'이라는 애
칭으로 불리는 문예반 담당 선생님은 예상 밖으로 몰
려든 문예반원들에게 "공부나 자습은 절대 하지 않으
며 숙제도 많은 동아리이니 자신 없는 사람은 알아서
나가라"면서 난감해한다. 문예반의 리더이자 선후배
는 물론 동급생들에게도 흠모의 대상인 오미수를 비
롯한 문예반원들의 열정적인 자기소개까지, 세상 모든
게 하찮고 시들하기만 한 고선우에게 문예반은 첫날
부터 온통 거슬리는 일투성이이다. 외딴 섬처럼 자기
만의 세계에 갇혀 지내 온 주인공 선우를 중심으로 펼
쳐지는 여고생들의 우정과 연대. 그리고 마음을 치유
하는 글쓰기에 관한 성장소설.

전생부터 가족

신지영 연작소설 | 2019년 7월 22일 발행
140×205mm | 232쪽 | 값 11,000원
ISBN 979-11-89034-14-6 43810

가슴을 내어 주고 가슴으로 품는
단 하나의 이름, '가족'

★학교도서관저널 추천
★행복한아침독서 추천

우리는 왜 가족으로부터 상처받을까? 꼭 혈연으로 묶여야 가족이 되는 걸까? 만약 가족을…… '선택'할 수 있다면? 조손 가정, 한부모 가정 등 다양한 가족 형태를 만나는 일이 익숙한 우리 시대에, 『전생부터 가족』은 한 번쯤 마주쳤거나, 앞으로 마주칠지도 모를 '가족'의 스펙트럼을 더욱 확장해 보여 준다. 친부모에게 느낀 분노와 상실감을 치유받기 위해 가상의 가족놀이에 뛰어들거나 모두 떠나 버린 빈집에 홀로 남겨졌거나, 가족을 지키기 위해 출생의 비밀을 일부러 모른 척하는 등 각 작품에 등장하는 아이들은 겉으로는 평범한 얼굴을 하고 있지만 각기 다른 사연과 아픔을 가지고 있다. 탈북 청소년, 이주 여성, 흔히 '드랙'이라고 불리는 크로스드레싱 이슈 등 사회적으로 관심과 시선을 충분히 받지 못하는 인물들 이야기도 등장한다. 가족이라는 울타리가 사회적 약자를 어떤 태도로 대해야 하는지, 어떤 역할을 할 수 있을지 생각해 보게 한다.

한 개 모자란 키스

주원규 장편소설 | 2019년 10월 30일 발행
140mm×205mm | 180쪽 | 값 12,000원
ISBN 979-11-89034-22-1 43810

★학교도서관저널 추천
★행복한아침독서 추천

"넌 내게 진짜 세상을 가르쳐줬어."
슬프고 웃기고 황당하고 발칙한
로맨스 판타지 학원 청춘 소설

한 소년이 학교 앞 버스 정류장에 막 내렸다. 소년의 이름은 김마루, 상위 0.1%의 학생들만 모여 있다는 사립 고등학교의 소외계층 특별전형으로 뽑힌 유일한 학생이다. 그런데 편의점 알바를 하다가 누명을 쓰는 바람에 입학 시기를 놓쳤고 졸지에 신입생이 아닌 복학생 신분이 되고 말았다. 겨우 최저 시급을 면한 처우의 계약직 교사라며 아이들을 '학생님들'이라고 부르는 담임 선생 경동호. 나사 하나쯤 빠진 게 아닐까 싶지만 유일하게 마루에게 말 걸어 주는 종구를 제외하면 아무 일도 일어나지 않을 것 같은 학교생활이었다. 그런데 한 여자아이가 마루에게 말을 걸어 온 순간, 모든 것이 달라졌다. 여자아이의 이름은 허신미! 뉴욕에서 보낸 중학생 시절 이미 아이비리그 입학 시험에 합격했다는 아이, 죄 잘난 집뿐인 이 학교 안에서도 최고로 잘나가는 집안의 아이라는 애가 사귀자고 한다. 걔가 뭐가 모자라 나를?! 왜?

집으로 가는 23가지 방법

김혜진 장편소설 | 2020년 1월 30일 발행
140mm×205mm | 188쪽 | 값 12,000원
ISBN 979-11-89034-24-5 43810

★문학나눔 선정
★북토큰 선정
★학교도서관저널 추천
★행복한아침독서 추천

소중한 사람들과 함께하는
시간으로 들어가는 23가지 방법

가족 중에 아픈 사람이 있다는 것, 죽음의 그림자가 도
사린 일상을 함께하는 것은 모두를 외롭게 한다. 언제
나 서로의 기색을 살피고 배려하면서 정작 자신의 마
음은 들여다볼 엄두를 내지 못하는 가족이 기꺼이 의
기투합하는 순간은, 가족 모두의 취미생활이기도 한
'길'을 찾을 때와 언니를 병원에 입원시킬 때다. 구글
어스와 내비와 여행자안내소의 지도를 통해 미드와
영드의 배경 속으로 들어가 보고 주말 경조사의 좌표
를 확인하는 동안 서로의 안녕에 눈을 맞추는 풍경이
작가 특유의 속삭이듯 담담한 문체와 어우러지면서
천천히, 그러나 깊게 마음을 흔든다. 내내 집으로 가는
새로운 길을 찾아 헤매던 주인공을 통해 작가가 들려
주고 싶었던 이야기는 무엇일까? 다정하고 아름다운
'나'의 봄과 여름의 풍경과 기억을 통해 독자에게 들려
주고 싶은 이야기는 혹시 이것은 아니었을까? '일상을
성실하게 챙기고 나의 마음이 어디로 향하는지 잘 살
피되, 이 모든 것의 처음과 끝이 결국은 가족임을 잊지
말 것.'

조슈아 트리

장미 장편소설 | 2020년 10월 20일 발행
140mm×205mm | 216쪽 | 값 12,000원
ISBN 979-11-89034-33-7 43810

★학교도서관저널 추천
★행복한아침독서 추천

> "별일없던 열여섯 내 인생을 뒤흔드는 스캔들이 시작되었다."

열여섯 살 사춘기 소녀 수아네 집에 어느 날 손님이 찾아온다. 엄마의 고향 후배라는 '연우 이모'는 이후 수아의 아지트이자 '친구 2호'인 노틀담 아저씨의 책방인 '솔 책방'을 인수하고 수아네 집 옥탑방으로 이사까지 온다. 뭔지 모르게 비밀스럽지만 다정하고 따뜻한 연우 이모는 '책방 이모'로 불리면서 금세 봉수동 사람들의 호감을 사고 수아에게도 '하나밖에 없는 우리 이모'가 된다. 그럭저럭 별일없이 평온하게 지내던 수아에게 문득 첫사랑이 찾아온다. 바로 고1 첫 등교일, 횡단보도 앞에서 마주친 영어교과 장우주 선생님. 이니셜을 따서 제이샘이라 이름을 붙이고 수줍은 짝사랑을 시작하던 중 제이샘의 인형볼펜이 연우 이모에게 있는 걸 발견하면서 봉수동이 발칵 뒤집힐 사건들이 걷잡을 수 없이 벌어지기 시작한다. 이 모든 사단은 바로 수아가 무심코 터뜨린 연우 이모의 비밀 때문이다.

"이제 나 어떡해야 하지?"

보호종료

윤혜숙 소설집 | 2020년 11월 11일 발행
140mm×205mm | 200쪽 | 값 12,000원
ISBN 979-11-89034-34-4 43810

'내 삶의 나침반만 꽉 쥐고 있다면
절대 길을 잃을 일은 없다.'
삶의 주인공으로 거듭나려는
십 대들의 당찬 권리 선언

★책씨앗 추천
★학교도서관저널 추천

'보호종료'란 보육원 같은 아동보호 시설에서 생활하다가 만 열여덟 살이 되어 자립하는 것을 말한다. 물론 일정액의 자립 수당이 주어지지만 기댈 언덕 하나 없이 졸지에 독립하는 데에는 턱없이 부족한 돈이다. 이를 두고 작가는 "알아서 먹고살라며 야멸차게 내쫓기는 것"(글쓴이의 말)이나 다름없다고 말한다. 한 다큐 프로그램을 통해 보호종료아동의 삶을 접하게 된 작가는 '어른으로서 부끄럽고 미안한 마음'으로 작품을 구상했다고 글쓴이의 말을 통해 밝히고 있다. 그리고 이 같은 사회적 용어로서의 '보호종료'를 "통제와 규칙으로 '규격화된 청소년'의 삶에서 벗어나 자유로운 개인, '나다운 나'로 서기 위한 자발적 의지"로 새롭게 명명하고 5편의 단편소설 전체를 관통하는 하나의 메시지로 담아 냈다. 결국은 사회적 관행과 편견에 맞서 용기를 내는 십 대들의 순정한 고민과 갈등, 도전이 비현실적이고 무모할지언정 아름답다.

소년 두이

한정영 장편소설 | 2021년 3월 29일 발행
140mm×205mm | 224쪽 | 값 12,000원
ISBN 979-11-89034-38-2 43810

★책씨앗 추천
★학교도서관저널 추천
★행복한아침독서 추천

"저는 저의 길을 갈 것입니다."
한 소년의 용감한 선택과 도전이
시작된다!

정조 대왕이 승하하고 순조가 나라를 통치하던 조선 후기, 도성은 원인을 알 수 없는 전염병이 돌면서 하루가 멀다 하고 사람들이 죽어 나갔다. 『소년 두이』는 19세기 조선을 휩쓴 의문의 전염병을 소재 삼되, 그 배경을 남해의 한 작은 섬으로 옮겨 그려낸 역사소설이다. 그런데 재난 상황 속에서 끊임없이 덮쳐 오는 역경에 맞서 싸워 나가는 소년의 이야기가 낯설지 않다. 이야기를 따라가다 보면 2019년 말, 우리 앞에 예고 없이 찾아온 코로나 팬데믹의 현실과 어김없이 겹쳐 오기 때문이다. 한때 벼슬아치였으나 진정한 애민의 길을 찾아 약초꾼으로 살고 있는 주인공의 아버지와 아버지의 가르침을 끊임없이 떠올리며 나아갈 길을 고민하는 주인공의 모습은, 오늘날 코로나에 빼앗긴 우리의 일상은 거리두기라는 사회적 약속의 실천과 더불어 서로에 대한 따뜻한 배려와 연대, 끊임없는 관심이 함께여야 함을 가르쳐준다.

고사리의 생존법

한수언 소설집| 2021년 4월 30일 발행
140mm×205mm | 248쪽 | 값 12,000원
ISBN 979-11-89034-39-9 43810

망해도 돼. 도망쳐도 괜찮아.
오늘을 충실히 살면 되는 거야.
그걸 꼭 기억해.

★학교도서관저널 추천

사이보그, 뱀파이어, 시간이동 같은 소재나 게임 서사
를 떠오르게 하는 판타지까지, 장르의 경계를 넘나들
며 거침없이 풀어 쓴 7편의 단편 속에 우리 시대 청소
년의 갈등과 고민이 고스란히 담겨 있다. 불의의 사
고로 사이보그가 된 공세리, 잘나가는 오빠와 달리 학
교에서건 집에서건 아싸인 임가영, 돌변한 단짝 친구
와 살 빼라고 구박하는 엄마 사이에서 점점 더 작아지
는 하연수, 어느 날 갑자기 저주받은 삶을 살게 된 뱀
파이어 오하라, 환승이별도 모자라 별안간 사라져 버
린 아빠의 비밀과 대면하게 된 방규상, 밤에는 웹 소설
작가, 낮에는 투병 중인 고등학생 한치열, 주류의 삶을
살라고 강요하는 아버지의 뜻을 거스르고 꿈을 찾아
길을 나선 비온. 이들을 통해 작가는 있는 그대로의 나
자신에 대한 사랑과 긍정이 세계를 바꿀 수 있다고 말
한다.

전사가 된 소녀들

김소연·윤해연·윤혜숙·정명섭 역사테마소설집 | 2021년 6월
30일 발행
140mm×205mm | 208쪽 | 값 12,000원
ISBN 979-11-89034-40-5 43810

★책씨앗 추천

가야부터 조선까지,
신분과 나이, 성별의 차별을 넘어
세상에 맞선 여전사들의 이야기

가야, 신라, 고려, 조선을 배경으로 한 역사테마소설
집. '여전사'를 주제로 주체적이고 능동적으로 자신의
삶을 헤쳐 나가는 소녀들의 이야기를 담았다. '전사'라
면 으레 대의를 위해 목숨을 바치는 용맹한 장수를 떠
올리지만 이 소녀들은 다르다. 아끼는 말의 안전을 위
해 새로운 형태의 마갑을 만들어 철기방의 운명을 바
꾸고, 불과 바람의 방향을 읽어 마을을 구한다. 여자라
얕보고 부당하게 폭력을 행사하는 이들에게는 노동과
수련으로 다져진 몸을 던져 스스로를 구한다. 어리고
약해서 보호받아야 할 대상이 아니라 삶의 주체로 서
서 아름답게 빛난다. 전사가 된 달래, 준정, 화이, 석지
이야기는 고단한 현실을 사는 지금의 청소년들에게도
큰 힘이 될 것이다.

+++   연관 도서
38쪽 만권당 소녀

만권당 소녀

김소연·윤해연·윤혜숙·정명섭 역사테마소설집 | 2022년 7월 25일 발행
140mm×205mm | 176쪽 | 값 12,000원
ISBN 979-11-89034-64-1 43810

꿈과 희망을 위해 전사가 된 소녀들
역사를 보는 새로운 시선,
소설로 만나는 진로 탐색

세상의 모든 역사는 남성과 여성이 함께 만들어 온 것임에도 여성의 흔적을 정치하게 의미를 부여하여 담아 낸 사료는 매우 드물다. 이에 대한 아쉬움을 가지고 한국사를 공부해 온 네 명의 작가가 머리를 맞댔다. 역사테마소설집 『만권당 소녀』에 수록된 네 편의 단편이 소설적 상상력으로 창조해 낸 허구임에도 충분히 있을 법하게 느껴지는 까닭은 바로 역사적 기록과 사실 관계에 기반하여 쓰여졌기 때문이다. 또 고려시대부터 조선과 한국전쟁 전후의 현대에 이르기까지, 주체적이고 능동적인 주인공들의 고난과 도전, 저항의 여정이 '진로 탐색'이라는 청소년기의 고민과 만나 더욱 흥미롭게 펼쳐진다. 고려와 조선, 한국전쟁을 배경으로 일러스트레이터, 과학 수사관, 엔터테이너, 군인 등 오늘의 직업이 역사적 사실을 배경으로 펼쳐진다.

★책씨앗 추천
★학교도서관저널 추천

+++   연관 도서
37쪽 전사가 된 소녀들

038

하이브리드 소녀

장미 장편소설 | 2023년 4월 10일 발행
140mm×205mm | 192쪽 | 값 13,000원
ISBN 979-11-89034-71-9 43810

★책씨앗 추천
★학교도서관저널 추천

놀라운 상상력, 대담한 은유
지구 끝으로부터 건너온
깊고 다정한 포옹

반은하는 엄마, 아빠, 여동생 반서하와 함께 사는 평범한 열일곱 살 소녀이다. 어느 날 엄마가 갑자기 쓰러져 의식불명 상태로 중환자실에 입원한다. 하루아침에 정확한 병명도 없이 '희귀하고 연구해 볼 만한 상태'에 빠진 채로 기약없이 누워 있는 엄마가 일어나기만을 기다리던 중, 'DNA 검사' 이야기를 듣게 되고 혹시 엄마에게 도움이 될까 싶은 마음에 아빠와 나의 DNA 검사를 신청한다. 그러나 검사 결과가 나오기 전에 엄마는 돌아가신다. 늘 데면데면했던 아빠와 말없는 동생 사이에서 외로운 은하에게 장례 기간 내내 힘이 되어 준 사람은 병원 지하 매점을 하는 수정 언니뿐이다. 그렇게 장례식 후 집으로 돌아온 반은하에게 네 통의 메일이 도착한다. 메일에는 첫 줄부터 상상조차 해 본 적 없었던, 삶이 송두리째 흔들릴 내용이 담겨 있다. '반은하-Hybrid 99%', 도대체 무슨 일이 벌어지려는 것일까?

우리는 얼굴을 찾고 있어

김혜진 장편소설 | 2023년 10월 16일 발행
140mm×205mm | 196쪽 | 값 13,000원
ISBN 979-11-89034-74-043810

우리는 행동했다.
행동했으니까 달라질 것이다.
"나는…… 잘못한 게 없었어.
너희도 마찬가지야."

★문학나눔 선정
★책씨앗 추천
★학교도서관저널 추천

'작은 허리케인 같은' 아이 서루아는 모든 일이 '서루 아니까'로 정당화되는 학교 최고 인싸다. 그런 서루아의 공인 단짝인 지태희는 '언제나 선을 따라 단정하고 올곧게 걸을 것 같은' 아이, 어디서든 문제집부터 펼쳐 드는 우등생이다. 번번이 핀잔을 주고 고개를 젓고 한숨을 쉬면서도 서루아를 '원래 그런 아이'라면서 곁에 두는 지태희. 반면, 그림자처럼 조용히 집과 학교를 오가는 이해솔은 고등학교에 진학하면서 남모를 고민이 생겼다. 어느 날, 전혀 예상하지 못했던 장소에서 마주친 세 아이들. 이 뜻밖의 만남은 이해솔의 가라앉아 있던 일상을 흔들고 지태희와 서루아의 아슬아슬했던 관계에 균열을 일으킨다. 도무지 물과 기름처럼 섞이기 힘들 것 같은 이 아이들에게 도대체 무슨 일이 벌어진 걸까? 열일곱의 가을, 뜻밖의 장소에서 우연히 서로를 발견하고 무거웠던 비밀의 문을 열며 함께 나아가는 이야기.

청소년 교양
'청소년을 위한 인문학
콜라보'
시리즈

'청소년을 위한 인문학 콜라보'는 십 대의
눈높이에 맞춰 문학, 미술, 역사, 철학, 고전 등을
다양하고 깊이 있는 관점으로 들여다보고 질문하고
스스로 답을 찾아보는 청소년을 위한 인문에세이
시리즈입니다.

내 말 좀 들어줄래?

문학과 명화로 본 10대의 진짜 속마음

정수임 지음 | 2017년 1월 20일 발행
148mm×210mm | 236쪽 | 값 14,000원
ISBN 979-11-957648-4-6 43100

"세계문학 고전과
명화가 심리학을 만나다"
십 대 마음 공감 에세이

★서울시교육청도서관 추천
★학교도서관저널 추천
★행복한아침독서 추천

공무원, 회사원, CEO……, 꿈이 사라진 자리에 진로
와 직업이 자리를 잡았지만 그조차도 겉보기와 달리
구체적이지 않다. 도대체 뭐가 하고 싶은 건지 알 수
없는 우리 아이들의 '미래의 직업'들을 보면서 저자는
그 뒤에 숨은 십 대의 마음을 엿본다. 혹시 그 마음 깊
은 곳에 "네 성적으로 가능하겠니?", "그게 뭔 줄은 아
니?" 같은 어른들의 비난, 이해받지 못할 게 뻔하다고
생각하는 자포자기의 두려움이 자리하고 있진 않은지.
그리고 이 마음들을 좀 더 깊이 들여다보고 가까이 가
기 위해 익숙한 문학작품과 그림을 펼쳐 든다. 저자를
따라 홀든 콜필드(『호밀밭의 파수꾼』)와 싱클레어(『데
미안』), 뫼르소(『이방인』), 아Q(『아Q정전』) 들의 처지
와 마음이 선생님, 부모님, 친구들과 함께 있을 때의
'나'와 어떻게 같고 다른지 살펴보는 동안 미처 보살피
지 못하고 지나쳤던 마음들을 다시 보게 된다.

내가 진짜 하고 싶은 말

이야기로 만나고 질문으로 생각하는
십 대의 일상 속 페미니즘

정수임 지음 | 2018년 8월 27일 발행
148mm×210mm | 318쪽 | 값 15,000원
ISBN 979-11-89034-05-4 43330

★한국출판문화진흥재단
　올해의청소년교양도서
★학교도서관저널 올해의책

모두의, 모두에 의한,
모두를 위한 십 대 페미니즘 클럽,
'나쁜 페미니즘 모임'에서 만나는
우리 사회의 맨얼굴들

청소년이 재미있고 쉽게 공감할 수 있도록 풀어낸 십
대를 위한 페미니즘 입문서. 집과 학교 등 청소년의 일
상 곳곳에서 만나게 되는 성평등 문제를 지식소설 형
식으로 담아냈다.
"왜 아빠는 꼭 누가 밥을 차려드려야 할까?"
"남자들만 군대에 가는 이유가 뭘까?"
"예쁘다는 말이 왜 여성혐오야?"
"농담인데 그냥 웃고 넘어가면 안 돼?"
누구나 한번쯤 가져봤을 의문들을 묻고 답하는 동안,
'여자답게', '남자답게' 같은 틀에서 벗어나 있는 그대
로 당당한 삶의 의미와 가치에 대해 생각하게 된다.

길고 짧은 건 대 봐야 아는 법

고대 그리스부터 현대 대한민국까지,
재판으로 보는 세계사

권재원 지음 | 2019년 1월 28일 발행
148mm×210mm | 312쪽 | 값 15,000원
ISBN 979-11-89034-10-8 43900

전 세계를 뒤흔든
사건과 논쟁으로 보는 세계사
"재판을 보면 역사가 보인다"

고대 그리스·로마부터 현대 대한민국까지, 세계사의
흐름을 바꾸었던 역사적 사건들을 다양한 관점으로
살펴본다. 세계사에 기록된 재판을 다룬 책들이 이미
많지만 저자가 머리말에서도 밝히고 있듯 이 책은 '재
판'에 초점을 맞추고 있지 않다. 사건의 시작과 그 과
정에서 벌어진 논쟁에 집중한다. 다시 말해 '판결'이 아
닌 사건 그 자체, '송사'를 다루고 있는 것이다. 또 서구
문명에 국한하지 않고 근대 이전은 물론 중국과 조선,
미국, 프랑스, 독일, 대한민국을 넘나들며 오늘의 우리
사회와 관련지어 들여다본다.

★학교도서관저널 추천
★행복한아침독서 추천

우리를 정의하는 것은
우리의 행동입니다

화폐 속 여성 인물 이야기

권재원 지음 | 2021년 8월 25일 발행
148mm×210mm | 200쪽 | 값 16,000원
ISBN 979-11-89034-43-6 43300

★책씨앗 추천
★충북비경쟁독서토론대회
　추천
★행복한아침독서 추천

인류 역사상 가장 강력한 매체
'화폐'가 선택한 슈퍼스타들!
"독보적으로 위대했던 이들에 관한
이야기"

일단 발행된 화폐는 그 화폐를 쓰는 공동체 내의 거의 모든 사람들이 매일 접하게 된다. TV뉴스나 신문, 잡지, 인터넷, SNS 등 다양한 매체들이 있지만 이토록 불가항력적으로 남녀노소를 넘어 우리의 의식에 각인되는 매체가 또 있을까. 그런데 전 세계의 다양한 화폐들에는 대부분 그 나라의 상징적 인물들이 들어간다. 정치, 사회, 문화, 역사적으로 자랑스러운 인물을 신중하게 선정해 그려 넣는 것이다. 그리고 놀랍게도 '세상의 절반은 여성'이라는 말이 무색하리만큼 화폐 인물의 대부분이 남성이다. 지금은 유로화로 통합되어 역사 속으로 사라져 버린 독일의 마르크화와 이탈리아의 리라화 등 유럽의 국가들을 포함, 전 세계 화폐의 인물들 중 여성 인물에 주목하여 그들이 '여성'으로 겪어야 했던 어려움과 결국 그 삶이 오늘날 우리에게 남긴 의미와 가치를 살펴본다.

역사 선생님도 믿고 보는

이인석 한국사

이인석 지음 | 2020년 5월 25일 발행
174mm×240mm | 전3권, 각권 400쪽 내외
1권-값 22,000원 | ISBN 979-11-89034-27-6 04910
2권-값 22,000원 | ISBN 979-11-89034-28-3 04910
3권-값 23,000원 | ISBN 979-11-89034-29-0 04910

1권_선사 시대부터 조선 전기까지

1장 국가의 성립과 발전
선사 시대부터 남북국 시대까지

2장 민족 통합과 자주 외교
고려 시대

3장 성리학과 한글
조선 건국부터 조선 전기까지

2권_임진왜란부터 3·1운동까지

1장 통치 체제의 재정비와 서민 문화의 성장
임진왜란부터 조선 후기까지지

2장 제국주의와 근대화를 위한 노력
흥선 대원군 집권부터 국권 침탈까지

3장 자주독립을 향한 꿈과 3·1운동
의병 투쟁에서 3·1운동까지

개정 한국사 교과서부터
최근의 정치, 사회 기류까지…
더 담아 새로 쓴 한국사 완전판

30년 가까이 역사교사로 살면서 교과서와 각종 역사 교양서 집필에 참여해 온 '역사 교사들의 교사' 이인석 선생님의 한국사 개설서가 완간되었다. 2020년부터 보급되는 개정 역사 교과서를 비롯하여, 새롭게 발견되거나 밝혀진 사료, 사회적으로 이슈가 된 이야기들까지, 정사를 충실하게 따라가면서도 지루할 틈 없이 풍성하게 보고 읽고 느낄 수 있도록 배치된 읽을거리들로 역사 공부의 재미까지 잡았다. 중고등 청소년, 국가고시 준비생, 한국사 능력 검정 시험 준비생, 또 역사 교육에 어려움을 느끼는 초중고 선생님은 물론 좀 더 깊이 있게 한국사를 만나고 싶은 일반 독자들까지 전 세대가 함께 읽을 수 있는 책이다.

3권_임시 정부 수립부터 오늘날까지
1장 일제의 탄압과 독립 투쟁
통합 임시 정부 수립부터 해방까지
2장 냉전 체제를 넘어 민주화와 산업화로
냉전 시대부터 오늘날까지

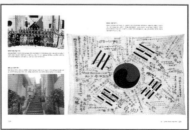

교육서
'함께교육'
시리즈

우리 시대의 '교육'을 주제로
비평, 에세이, 소설 등 장르를
넘나들며 풀어 담아 쓴 교육서
시리즈입니다.

안녕하십니까, 학교입니다

교사와 학부모가 함께 읽고 나누는
특별한 가정통신문

권재원 글 | 2017년 9월 27일 발행
148mm×210mm | 220쪽 | 값 15,000원
ISBN 979-11-957648-8-4 03370

"교사는 수업을 통해 부모는 삶을 기울여 가르치는 것이 교육입니다"

공교육에 대한 사회적 걱정과 우려는 어제오늘 일이 아니다. 백년지대계라는 교육 정책들은 학교 현장과 아무런 논의 없이 졸속으로 만들어지고 그나마도 손바닥 뒤집듯 뒤집어지는 경우가 허다하다. 이때마다 불안은 온전히 학부모와 아이들의 몫이 되고 언제나 '문제는 공교육'으로 귀결되는 악순환이 반복되어 왔다. 이에 대해 저자는 먼저 학부모가 교육의 주체로 바로 서야 한다고 말한다. '학교, 교사, 학생'을 교육의 삼 주체로 칭하면서 학부모는 '교육 수요자'로 위치 지었던 진보정권의 교육 정책에 대한 날카롭고 객관적인 문제 제기도 설득력이 있다. 저자에 따르면 우리나라의 공교육은 거의 모든 지표에서 '세계 최고 수준'이며 이 최고 수준의 공교육이 거의 '무상으로 제공'되고 있다. 그럼에도 불구하고 '공교육 논란'이 끊임없이 제기되는 까닭은 무엇인가. 이에 대해 저자는 교육의 주요 주체로서 학부모의 교육에 대한 관점과 역할에 오해가 있기 때문이라고 말한다.

학교가 꿈꾸는 교육,
교육이 숨쉬는 학교

권재원 글 | 2018년 5월 23일 발행
148mm×210mm | 364쪽 | 값 16,000원
ISBN 979-11-89034-01-6 03370

학교와 교사의 진정한 의미를 묻다

★행복한아침독서 추천

저자는 교육의 자주성과 전문성, 다양성을 지키기 위해 '교육법령에 대한 연구와 입법운동'을 교원단체와 교원노조의 중요한 활동 방식으로 채택하고 적극적으로 임해야 한다고 주문한다. 이를 통해 이른바 진보와 보수라는 정치적 프레임에 따라 움직이는 교육부 관료들을 견제할 수 있다고 말하고 있다. 또 세월호참사 이후 떠오른 '안전 문제'와 이를 위한 '민주시민 교육', '혁신학교' 및 등교시간과 등교지도, 학생인권과 교권에 대한 생각 등도 담았다. 특히 여전히 개선되지 않고 있는 교사의 행정 업무를 비롯, 관행이라는 미명하에 유지되고 있는 학교문화에 대한 매우 분석적인 비판과 이를 개선할 수 있는 대안까지 분명하고 명쾌하게 제시하고 있어 눈여겨보게 된다.

아이와 함께 배우고 성장하는

초등 부모 교실

차승민 글 | 2018년 7월 16일 발행
148mm×210mm | 250쪽 | 값 15,000원
ISBN 979-11-89034-04-7 03370

★행복한아침독서 추천

교사와 학부모 모두를 위한 든든하고 가슴 뭉클한 길잡이 책!

현직 초등 교사인 저자는 서두에서부터 대놓고 이 책에서 '번듯하고 효과적인 방법', '교육적 방법이나 기법'은 기대하지 말라고 말한다. 그러나 6학년만 12번, '초4병'이라는 말도 있을 만큼 어렵다는 4학년은 3년 내리 담임을 맡아 지도한 경험 덕분인지 사춘기 무렵 초등학생들의 심리를 완벽하게 꿰뚫고 있다. 왜 부모는 아이들을 위한 일이라면 최선을 다하면서도 끊임없이 불안에 시달릴까? 왜 아이들은 헌신하는 부모와 점점 멀어질까? 초등 학부모라면 경중의 차이가 있을 뿐 공감할 이 질문에 저자가 아이들과 교실을 빌려 답한다.

저자의 따뜻하고 간절한 진심이 오늘도 고군분투 중인 선생님들과 부모님들에게 오롯이 가닿아 나누어지길 기대해 본다.

오늘도 학교에 갑니다

공립학교 교사와 대안학교 교사가 일 년간 함께 나눈
우리 교육 이야기

심은보·여희영 글 | 2019년 7월 8일 발행
148mm×210mm | 280쪽 | 값 16,000원
ISBN 979-11-89034-13-9 03370

★행복한아침독서 추천

"때로는 기적처럼 때로는
마법처럼……"
아이들과 함께 풀어가는
가슴 뭉클한 일상,
부드럽고 다정한 진심
두 교사가 들려주는 '관계의 교육학'의
생생한 사례들!

두 교사가 나눈 이야기 중 가장 크고 깊은 감동은 역
시 아이들 이야기이다. 때로는 먹먹하게 때로는 부끄
럽고 미안한 마음으로 서로에게 들려주는 두 교사의
교실 풍경은 그 자체만으로 감동이다. 그리고 그 감동
과 함께 우리는 결국 교육이란 무엇이고 어떠해야 하
는지 배우게 될 것이다. 그것이 대안교육이건 공교육
이건 말이다. 교사, 학부모, 학생이 자기 자리에서 최
선을 다해 '애쓰는 마음'이 일구고 바꾸는 기적 같기도
하고 마법 같기도 한 이 이야기가, 10여 년 넘게 각기
다른 교육 현장에서 온몸으로 아이들을 만나 온 두 저
자의 따뜻하고 간절한 진심이 오늘도 고군분투 중인
선생님들과 부모님들에게 오롯이 가닿아 나누어지길
기대해 본다.

명진이의 수학여행

권재원 교육소설

권재원 글 | 2020년 5월 15일 발행
148mm×210mm | 224쪽 | 값15,000원
ISBN 979-11-89034-30-6 03810

완벽한 서사 속, 가슴 뭉클한
감동으로 마주하는 '우리 교육'

현직 공립 중학교 교사이자 교육학자인 저자 권재원
은 '실천교육교사모임'의 고문으로 활동하며 교육 현
안에 대한 날카로운 글을 각종 매체에 발표하고 있는
교육 칼럼니스트이다. 그만큼 대한민국 공교육에 대해
구체적이고 깊이 있게 고민과 대안을 제시할 수 있는
이도 없을 것이다.

6편의 단편소설의 화자는 현직 교사인 권오석 선생으
로, 운동권 학생이었던 사범대학 시절부터 교직 경력
28년차 사회 선생으로 살고 있는 현재까지, 멀리는 우
리 사회 교육 민주화의 역사부터 가깝게는 디지털 유
목민으로 태어난 신인류의 공교육 현장까지 다양한
소재와 주제를 넘나든다. 각 작품은 서로 다른 서사적
주인공을 내세워 주제의식을 분명하게 드러내고 있다.
깊은 감동과 여운 속에 마지막 책장을 덮는 순간, '교
육'의 가치와 의미가 더 깊고 새롭게 다가올 것이다.

그 여름의 끝, 우리는

두 교사 이야기

권재원 글 | 2021년 9월 27일 발행
128mm×188mm | 304쪽 | 값14,000원
ISBN 979-11-89034-53-5 03810

소설로 만나는 우리 교육 현장의 생생한 민낯 그리고 직업으로서의 교사

전작인 교육소설집 『명진이의 수학여행』에 이은 교육 장편소설. 두 주인공인 써니(김선희)와 와니(조영완)는 전작의 주인공이었던 권오석 선생의 제자들이다. 이들은 현재 각각 공립 중학교에서 국어와 사회를 가르치는 교사이자 여성이다. 권오석 선생은 이들이 '교사'라는 직업을 선택하도록 이끄는 인생의 스승으로 등장한다. 이른바 엄친딸인 와니는 별 부침 없이 순탄하게 임용고시까지 통과하여 학창시절에도 그러했듯, 젊은 교사들의 워너비로 교내외에서 활발한 활동을 이어 가고 있다. 써니는 어려운 가정환경 속에서 몇 번의 고비를 넘기며 간신히 임용고시를 통과, 신규교사 연수에서 강사로 나온 와니와 중학교 졸업 후 처음 만나게 된다. 그런 어느 날, 학교에서 뜻밖의 사건의 피해자가 된 써니는 와니의 연락을 받는다. 그리고 거센 폭풍의 한가운데에서 끝내 쓰러지지 않고 서로를 향한 지지와 연대의 힘으로 '진짜 어른'이자 '좋은 교사'로 성장한다.

054

이게 뭐라고 이렇게 재밌지?

열두 살 열두 달 학교 이야기

최은경 글 | 2023년 9월 4일 발행
148mm×210mm | 240쪽 | 값 16,000원
ISBN 979-11-89034-73-3 03370

★행복한아침독서 추천

"배움의 즐거움, 가르침의 경이로움"
삶을 가꾸는 공부에 관한 질문과 성찰

3월 새학기 첫날, 5학년 1반 교실에 22명의 아이들이 하나둘 들어서기 시작한다. 책상에는 시집 한 권씩이 놓여 있다. "책상 위에 놓인 시집을 보고 마음에 드는 곳에 앉으세요." 칠판에 적힌 안내에 따라 하나둘 자리에 앉는다. 빈 자리가 모두 채워지자 선생님은 아이들의 이름을 한 명 한 명 부르며 눈을 맞춘다. 그러고 난 다음, 스스로를 설명하는 단어를 칠판에 적는다. '괜찮은 최은경샘', '민들레', '달팽이', '시와 동화', '4, 10,000'. 민들레, 달팽이, 시와 동화를 좋아하며 괜찮은 선생님이 되고 싶어서 하루에 4시간씩 10,000시간 공부하기가 목표인 선생님. 이 책의 저자인 교사 최은경이 그대로 드러나는 대목이다.

이 책은 한 교사가 5학년 1반 22명의 아이들과 함께한 일 년간의 교단일기이자, "가르침에 대한 불안과 숙고가 교차하는 과정에서 아이들이 무엇을 어떻게 배웠는지, 어떤 성장이 있었는지를 발견"하고, "아이들의 질문에서 시작된 수업이 교과를 넘어 주제 중심의 통합된 배움으로 이행되는 것을 경험"하면서 코로나 시기를 버티며 건너온 우리 교육 현장의 생생한 기록이다.

에세이

교양·예술·인문·기행

학생에게 임금을

(원제 : 学生に賃金を)

구리하라 야스시 지음 | 서영인 옮김 | 2016년 5월 9일 발행
148mm×210mm | 312쪽 | 값 16,000원
ISBN 979-11-957648-1-5 03330

★한겨레신문 추천

"학생도 실업자도 주부도 사회적
노동자다!"
'학생에게 임금을'이라는 슬로건에
담긴 역사적 의미와 가치

일본의 대학과 대학생이 처한 현실을 진단하고 방향
을 제시한다. 그런데 읽다 보면 5년 여 시간차를 두고
일본의 전철을 우리가 그대로 밟아가고 있었구나 하
는 생각이 든다. 저자는 왜 대학이 공짜여야 하는지,
왜 일본의 대학이 등록금은 올리면서 대출형 장학금
을 늘리고 있는지 하나하나 풀어낸다. 나아가 교육의
기회균등이 갖는 철학적 의미, 고등교육 무상화 논리
의 역사성과 실현 가능성을 특유의 유머와 재기로 발
랄하게 들려준다. '어떤 빚에도 속박되지 않고 좋아하
는 것을 충분히 좋을 만큼 생각하고 원하는 방식으로
표현하는 것이 가능'한 삶은 '학비 없는 대학'으로 비
로소 이루어지며 이것은 우리 모두의 삶의 질을 바꿔
주는 가장 기초적이면서 현실적인 대안이라는 저자의
주장을 따라가다 보면, 신자유주의 논리에 삶의 근간
마저 휘둘리면서 자본의 노예로 복무하는 삶에 나를
방치하느냐 박차고 나오느냐가 결국 관점의 문제였음
을 깨닫게 된다.

일하지 않고 배불리 먹고 싶다

부채사회 해방선언
(원제 : はたらかないで、たらふく食べたい)

구리하라 야스시 지음 | 서영인 옮김 | 2016년 9월 5일 발행
135mm×193mm | 252쪽 | 값 13,000원
ISBN 979-11-957648-2-2 03300

'상호부조'의 정신을 되살려
남에게 폐 끼칠까 걱정 말고,
'일하기 싫다'고 당당하게 선언해 보자!

'겨우' 먹고살기도 힘든 오늘의 현실을 '8시간노동제'를 주장했던 1886년 미국 시카고의 헤이마켓 광장의 노동자들은 예상이나 했을까. 더 큰 문제는 시간당 얼마라는 이 기준이 우리의 삶을 계산하고 인간의 자격을 논하는 척도가 되어 버렸다는 것이다. "일하지 않는 자 먹지 말라"는 사도 바울의 말은 오랫동안 인간을 지배해 온 의무이자 규범으로써 노동의 신격화에 일조했다. 이 책은 신자유주의 체제하의 굴절된 반인간적 노동윤리에 반기를 든다. '자신의 쓸모를 증명하기 위해 애쓰지 말고 대신 함께 나누어 배불리 먹을 수 있는 나라, 서로의 쓸모없음이 위로가 되고 가치가 되는 나라를 꿈꾸어 보자'는 옮긴이의 말이 영 딴 세상 이야기로 들리지 않는 것만으로도 이 책은 읽을 만한 가치가 충분하다.

닥터 페미니스트

여자의 몸을 말하다

문현주 지음 | 2016년 11월 14일 발행 |
148mm×210mm | 256쪽 | 값 14,000원
ISBN 979-11-957648-3-9 03510

생애주기에 따른 여성 건강의 모든 것,
여성 전문 한의사가 들려주는
여자의 몸 이야기

빅토리아 시대의 코르셋으로부터 벗어난 지 백년이
지났지만 여성의 몸을 옥죄는 속옷을 벗어던지자는
퍼포먼스, 피임과 낙태를 여성의 자기결정권으로 이해
해야 한다는 주장 등에서 보이듯 여성의 몸에 관한 정
치·사회적인 프레임은 여전히 유효하다. 여성의 몸을
둘러싼 오랜 논쟁과 편견은 의학의 영역에서도 마찬
가지인데 대표적으로 남성의 신체적 증상을 기준으로
여성을 진단해 온 관례가 그것이다. 저자가 온라인상
에서 오랫동안 써 온 이름이기도 한 '닥터페미니스트'
는 이러한 정치·사회·역사적 환경에 대한 저자의 문제
의식이 담겨 있다. 난임 치료 전문 한의사로 살다가 여
성을 아프게 하는 '궁극적 원인'에 대한 궁금증으로 홀
연히 떠난 영국 유학 기간 동안 의료인류학을 공부한
저자는 여성의 몸을 둘러싼 다양한 사회적 혐의들을
벗겨 내고 인문학적 성찰에 바탕하여 우리 자신의 몸
을 이해하고 되찾아야 한다고 말하고 있다.

엄마는 누가 돌보지?

엄마를 위한, 엄마에 의한, 엄마들의 마을 공동체

C. J. 슈나이더 지음 | 조은경 옮김 | 2017년 5월 8일 발행
148mm×210mm | 248쪽 | 값 14,000원
ISBN 979-11-957648-6-0 03330

오늘도 고군분투 중인 세계 각국의 엄마들! 울컥하고 뭉클한, 바로 우리 모두의 이야기

저자인 C. J. 슈나이더는 세 번째 아이를 낳고 새로운 곳으로 이사한 후 홀로 세 아이들을 돌보느라 완전히 지쳐 버렸다. 고통과 탄식 후 찾아오는 고립감과 외로움은 산후 우울증에 걸리기 완벽한 조건이었다. 하지만 다른 엄마들과 이야기하기 시작하면서 슈나이더는 자기만 외로움을 느끼고 있는 게 아님을 알게 된다. 그리고 그 결과로 엄마들에게 엄마 공동체를 만드는 방법에 대한 실질적인 조언을 하기 위해 이 책을 쓰기로 결심했다. 저자가 말하는 엄마들의 마을이란 거창한 공동체를 의미하지 않는다. 내 옆집이나 건넛집에 사는, 나와 똑같이 아이 키우는 일에 허덕이는 엄마들이 모여, 서로의 고충을 나누는 것으로도 마을은 시작될 수 있다. 함께 모여 아이도 돌보고, 엄마가 행복해지는 다양한 활동을 나누면서 육아의 긴 터널을 이겨 나갈 수 있음을 보여 준다. 오늘도 외로이 육아의 무거운 짐을 감당하고 있는 이 땅의 엄마들에게 위로를 건네는 책.

오늘도 가난하고 쓸데없이 바빴지만

서영인 글 | 보담 그림 | 2018년 10월 10일 발행
135mm×193mm | 256쪽 | 값 14,000원
ISBN 979-11-89034-07-8 03810

★문학나눔 선정

‘이상한 나라의 토끼처럼’
기웃기웃 어슬렁,
거닐어 보는 도시 산책자의 삶

문학평론가이자 한국문학 연구자인 서영인의 산문집. 산문집을 구상하게 된 배경과 집필 과정이 에필로그에 상세히 쓰여 있는데 저자는 처음에 “글을 쓰고 책을 내는 일은 뭔가 공익에 보탬이 되어야 한다는 지나치게 바른생활적 사고를 벗어나지 못하고 있었던지라” 망설였다. 왜 아니겠는가. 문학 연구자로 대학강사로, 비평하고 가르치는 일로 먹고살다 느닷없이 ‘내’가 온전히 드러날 게 뻔한 에세이를 그것도 전작으로 써야 한다니 우선은 낯부터 설밖에. 그러나 중앙일간지에 꾸준히 연재해 온 칼럼들을 통해 그가 보여 준 사회를 바라보는 날카롭지만 따뜻한 시선, 특유의 위트와 유머가 지면의 제약을 벗어던지고 나니 더욱 생생하고 구체적으로 살아난다. 혼자서도 잘 놀고 잘 마시는 독거 중년의 삶을 재미있게 담아 보자는 애초의 기획 의도는 오늘의 사회를 관통하는 매우 지적이면서 자기 성찰적인 동시에 다정한 누군가와 팔짱끼고 낄낄거리며 헤매고 있는 듯한 유쾌함으로 구현되었다.

마음 아플 때 읽는 역사책

박은봉 지음 | 2022년 9월 20일 발행
130mm×210mm | 240쪽 | 값 14,000원
ISBN 979-11-89034-66-5 03900

★알릴레오북스 추천

진짜 해피엔딩을 찾아 떠난
위대한 여정,
오늘을 살아가는 모두를 위한 역사책

불시에 들이닥쳐 견딜 수 없는 고통으로 삶을 파괴하
는 정체불명의 질병과 싸우면서도 연구를 멈추지 않
았던 다윈, 오로지 '유명해지겠다'는 일념으로 평생 채
워지지 않는 갈망 속에서 허우적거리며 스스로를 괴
롭힌 콤플렉스를 작품으로 승화시킨 안데르센, 우리에
게는 베스트셀러 에세이 『숨결이 바람 될 때』로 널리
알려진 폴 칼라니티와 전 MBC 기자인 진수옥의 시한
부 선고를 받고 난 뒤의 이야기, 빈부격차, 차별과 불
공정, 분단국가 등 오늘날 한국사회의 그늘을 집약적
으로 보여 주는 다섯 명의 비행 청소년의 이야기까지,
4개의 이야기는 완벽히 독립된 듯 보이지만 개인의 삶
이 사회 및 역사와 얼마나 긴밀하게 연결되어 있는지
새삼 확인시켜 준다. 그리고 이들에게 닥친 삶의 위기
와 고통, 그럼에도 불구하고 기어이 살아낸 시간을 들
여다보고 추적한다. 동시에 시대도 배경도 다른 이들
의 이야기에서 우리는 공통적으로 '그럼에도 불구하고
행복하고 싶은 간절한 마음'을 발견하게 된다.

시간이 조금 걸리더라도

이윤엽 이야기 판화 그림책

이윤엽 지음 | 2023년 3월 2일 발행
185mm×240mm(양장) | 180쪽 | 값 20,000원
ISBN 979-11-89034-70-2 03810

★문학나눔 선정

"살아 있는 모든 존재들의
의미와 가치를 일깨우는 책"

목판화가 이윤엽이 쓰고 그린 책. 총 3개의 장으로 갈
라 담은 50여 편의 글과 그림을 관통하는 것은 놀랍도
록 깊고 따뜻한 생태적 감수성과 함께 작가에게 다가
온 모든 대상의 본질을 들여다보려 애쓰는 마음이다.
첫 장인 '신기한 일'에 담긴 작품들은 '땅'과 '모성'이라
는 공통점을 가지고 있다. 농사꾼이 되고 싶어 하는 아
이나 귀도 눈도 어두운 노인들의 인내와 지혜, 성실함
이 일궈내는 일들의 대단함, 모성의 경이로움이 그려
진다. 두 번째 장인 '이런 꽃 저런 꽃'에는 예술가의 눈
으로 바라보는 자연환경과 계절의 변화, 반려동물을
비롯한 비인간동물에 대한 존중이 담겨 있다. 세 번째
장인 '기억하는 마음'에는 작가를 따라다니는 파견미
술가, 현장예술가라는 수식어들을 설명해 주는 작품들
을 모았다. 작가는 몇 년 전 한 인터뷰에서 "예술은 자
기 얘기를 하는 것"이고 "진실을 보고 싶어 하는 마음
이 예술 감상의 밑자리"에 있다고 말한 바 있다. 그래
서일까. 이윤엽의 글과 그림은 '진실'이 가진 느리지만
깊고 단단한 힘과 닮아 있다.

한 권으로 떠나는 한 도시 이야기

파리 갈까?

장용준 지음 | 2018년 2월 26일 발행
148mm×210mm | 372쪽 | 값 18,000원
ISBN 979-11-957648-0-8 03920

보고 읽고 느끼고 맛보는
파리의 모든 것

파리를 여행하려는 사람들에겐 최적의 가이드이고, 파
리가 궁금한 사람들에겐 유익한 인문서. 저자의 7일간
의 파리 여정에는 풍부한 관광 정보와 파리의 역사로
꽉 채워져 있다. 프랑스혁명과 7월 혁명을 거쳐, 2월
혁명과 파리코뮌까지 파리는 세계 역사의 시작점이자
종착점이었다. 저자는 그 역사가 살아 숨 쉬는 파리의
유적과 유물 들을 찾아다니며 그와 관련된 이야기들
을 풍성하게 풀어낸다. 센 강에서 시작된 이야기는 퐁
네프 다리를 지키는 앙리 4세의 기마상에서 낭트 칙령
이라는 역사적 사실을 상기시키고, 콩시에르주리로 가
서 마리 앙투아네트의 슬픔을 이야기한다. 파리를 떠
올릴 때 가장 많이 언급되는 루브르 박물관이라든가
오르세 미술관, 로댕 박물관 방문도 빼놓지 않는다.

★서울시교육청도서관 추천
★대한출판문화협회
　올해의청소년도서
★행복한아침독서추천

한 권으로 떠나는 한 도시 이야기

교토 갈까?

장용준 지음 | 2022년 11월 1일 발행
148mm×210mm | 352쪽 | 값 20,000원
ISBN 979-11-89034-68-9 03910

★책씨앗 추천
★대한출판문화협회
　올해의청소년도서

기요미즈데라부터 윤동주까지…
지식여행자를 위한 7일간의
교토 인문학 기행

교토를 여행하려는 사람들에겐 최적의 길잡이 책이요, 교토가 궁금한 사람들에겐 어느 책보다 유익한 인문서. 역사가이기도 한 저자는 우리의 시각과 관점에서 바라봐야 할 지점들을 섬세하게 살펴주고 새롭게 해석해 볼 수 있도록 안내한다. 조선 사람들의 영혼이 잠들어 있는 '귀무덤', 신라에서 건너간 도래인 히타씨와 관련된 유적들, 재일동포 정재문 선생의 민족의식이 고스란히 담겨 있는 고려미술관을 비롯하여 윤동주 시인의 흔적이 남아 있는 우지강까지, '순망치한'의 한일사가 한눈에 보인다는 점이 이 책이 가진 귀한 미덕이다. 물론 7일간의 여정이다 보니 다소 많은 장소를 바쁘게 다니는 일정이긴 하지만 각자의 형편에 맞춰 넣고 빼며 다닐 수 있도록 동선을 배려해 놓았다. 구글 지도를 기준 삼아 단순화시켜 놓은 일일 지도는 경로와 인접 정도, 거리를 가늠하기에 충분하다.

전체 도서 목록

어린이문학

도서명	ISBN13	정가	도서출간일
어느 날 가족이 되었습니다	9791189034009	12,000	20180312
뻔뻔한 가족	9791189034092	12,000	20190218
번쩍번쩍 눈 오는 밤	9791189034238	12,000	20191202
뻔뻔한 우정	9791189034252	12,000	20200224
패션걸의 탄생	9791189034351	12,000	20201210
바람을 달리는 아이들	9791189034368	12,000	20210118
뻔뻔한 바이러스	9791189034375	12,000	20210222
비밀 유언장	9791189034412	12,000	20210705
누구든 오라 그래	9791189034429	12,000	20210728
차일드폴	9791189034542	12,000	20211025
엄마가 개가 되었어요	9791189034559	12,000	20220103
환상의 라이벌	9791189034573	12,000	20220411
패션걸의 패션스쿨	9791189034580	12,000	20220502
미래에서 온 아이	9791189034658	12,000	20220822
뻔뻔한 회장 김건우	9791189034672	13,000	20220920
비밀 도서관	9791189034726	13,000	20230620

어린이교양

도서명	ISBN13	정가	도서출간일
동물권(궁금한 이야기+)	9791189034030	12,000	20180705
4차 산업혁명(궁금한 이야기+)	9791189034061	12,000	20180928
성평등(궁금한 이야기+)	9791189034313	14,000	20200630
DMZ(궁금한 이야기+)	9791189034320	14,000	20200928

청소년문학

도서명	ISBN13	정가	도서출간일
이상한 나라의 앨리스들	9791195764853	11,000	20170227
남산골 두 기자	9791195764877	11,000	20170725
아무것도 모르면서	9791189034078	11,000	20181213
엘리자베스를 부탁해	9791189034115	11,000	20190416
사춘기 문예반	9791189034122	11,000	20190530
전생부터 가족	9791189034146	11,000	20190722
한 개 모자란 키스	9791189034221	12,000	20191030
집으로 가는 23가지 방법	9791189034245	12,000	20200130
조슈아 트리	9791189034337	12,000	20201015
보호종료	9791189034344	12,000	20201111
소년 두이	9791189034382	12,000	20210329
고사리의 생존법	9791189034399	12,000	20210430
전사가 된 소녀들	9791189034405	12,000	20210630
특이점	9791189034566	12,000	20220124
만권당 소녀	9791189034641	12,000	20220725
하이브리드 소녀	9791189034719	13,000	20230410
우리는 얼굴을 찾고 있어	9791189034740	13,000	20231016

청소년교양

도서명	ISBN13	정가	도서출간일
내 말 좀 들어줄래?	9791195764846	14,000	20170120
내가 진짜 하고 싶은 말	9791189034054	15,000	20180827
길고 짧은 건 대 봐야 아는 법	9791189034108	15,000	20190128
우리를 정의하는 것은 우리의 행동입니다	9791189034436	16,000	20210825
역사 선생님도 믿고 보는 이인석 한국사 1	9791189034276	22,000	20200320
역사 선생님도 믿고 보는 이인석 한국사 2	9791189034283	22,000	20200520
역사 선생님도 믿고 보는 이인석 한국사 3	9791189034290	23,000	20200525

기타일반

도서명	ISBN13	정가	도서출간일
학생에게 임금을	9791195764815	16,000	20160509
닥터 페미니스트 여자의 몸을 말하다	9791195764839	14,000	20161114
엄마는 누가 돌보지?	9791195764860	14,000	20170508
일하지 않고 배불리 먹고 싶다	9791195764822	13,000	20160905
안녕하십니까, 학교입니다	9791195764884	15,000	20170925
학교가 꿈꾸는 교육 교육이 숨쉬는 학교	9791189034016	16,000	20180523
초등 부모 교실	9791189034047	15,000	20180716
오늘도 학교에 갑니다	9791189034139	16,000	20190708
명진이의 수학여행	9791189034306	15,000	20200515
그 여름의 끝, 우리는	9791189034535	14,000	20210927
이게 뭐라고 이렇게 재밌지?	9791189034733	16,000	20230904
마음 아플 때 읽는 역사책	9791189034665	14,000	20220913
오늘도 가난하고 쓸데없이 바빴지만	9791189034078	14,000	20181010
시간이 조금 걸리더라도	9791189034702	20,000	20230302
파리 갈까?	9791195764808	18,000	20180226
교토 갈까	9791189034689	18,000	20221005

별나도 괜찮아!

우리는 모두 우주에 하나뿐인 다른 존재들……
다름과 존중의 가치를 발견하다

박현숙 글 · 정경아 그림 · 값 13,000원

뻔뻔한
회장
김건우

우리 반 모두를 충격과 공포에 빠뜨린 '금붕어 사건',
새로 이사 온 집의 민폐 주차로 연일 시끄러운 안녕빌라,
그런데 이 모든 일이 나 때문이라고?
"도대체 왜 나 때문이라는 건데?
그리고 왜 엉망진창이 돼?"

재미와 감동이 펑펑 터지는 뻔뻔시리즈

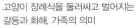

**뻔뻔한
가족**

고양이 장례식을 둘러싸고 벌어지는
갈등과 화해, 가족의 의미

**뻔뻔한
우정**

세상에서 가장
비밀스럽고 특별한 우정!

**뻔뻔한
바이러스**

혐오, 의심, 가짜뉴스를 물리치는!
착한 공동체주의의 힘!